15 Un... minuti!

La figlia di Sole e Luna

Prima ristampa, luglio 2018

Illustrazioni di Valentina Salmaso

© 2015 Edizioni EL, via J. Ressel 5, 34018
San Dorligo della Valle (Trieste)
ISBN 978-88-6714-364-1

www.edizioniel.com

15 Una storia in minuti!

La figlia di Sole e Luna

Testo di **Francesca Lazzarato**

EMME EDIZIONI

C'era una volta un ragazzo che voleva
sposarsi. Andò a cercare moglie nei
villaggi di pianura, ma nessuna delle
ragazze che vide gli piacque e cosí arrivò
fino ai villaggi di montagna. Anche
là, però, non trovò una ragazza che gli
piacesse, e alla fine decise che sulla Terra
non c'erano donne abbastanza buone e
belle da meritarsi un marito come lui.
Allora disse a suo padre: – Voglio sposare
la figlia di Sole e Luna, lei e nessun'altra!

E il padre: – Va bene, figlio mio, ma
chi la chiederà in sposa? Né tu né io
conosciamo la strada per salire fino in
cielo.

– Scriveremo una lettera, – disse il figlio.

– E chi la porterà? – rispose il padre.
Chiesero al Pappagallo, chiesero alla
Rondine, chiesero al Falco, ma nessuno
era capace di volare cosí in alto, e perfino
l'Avvoltoio dalle grandi ali rispose che
sarebbe riuscito ad arrivare solo
a mezza strada.

Il ragazzo si sedette davanti alla capanna, con la faccia triste e la lettera in mano, convinto che non ci fosse piú nulla da fare. Ma a un tratto sentí accanto al piede qualcosa di freddo e bagnato: era il Ranocchio, il piccolo Ranocchio che lo guardava con i suoi grandi occhi sporgenti.

– Padrone, – gli disse, – dammi la lettera e io la porterò in cielo.

– Tu, mostriciattolo? Non hai ali, e pensi di far meglio dell'Avvoltoio!

– Credimi, so come fare. E se non dovessi riuscire puoi sempre sfogarti prendendomi a calci, – rispose lui.

Cosí il ragazzo gli diede la lettera e
il Ranocchio si tuffò nel pozzo dove
le serve di Sole e Luna andavano ogni
giorno a prendere l'acqua.
Appena calarono il secchio, *plaf!*, lui ci
saltò dentro con la lettera in bocca e
quelle non si accorsero di nulla. Poi se
ne tornarono in cielo e misero il secchio
in cucina.

Allora il Ranocchio venne fuori, posò la lettera sul tavolo senza farsi vedere e si nascose: giusto in tempo, perché in quel momento arrivò Sole in persona.

– Chi ha portato questa lettera? – chiese alle serve. – Siete state voi?

– Noi no! – risposero loro, alzando le spalle.

Poi Sole si mise a leggere, vide che un uomo della Terra gli chiedeva la figlia in sposa e andò a dirlo a Luna.

– Che pretese! – esclamò lei.

– Che coraggio! – disse lui.

E decisero che per la figlia avrebbero chiesto un prezzo cosí alto da scoraggiare chiunque. Perciò lasciarono sul tavolo una risposta che diceva: «Se vuoi nostra figlia, devi darci le collane, gli orecchini e i braccialetti piú preziosi che ci siano». Appena Sole e Luna uscirono, il Ranocchio prese la lettera e tornò a nascondersi nel secchio, che il giorno dopo venne di nuovo calato nel pozzo. Lui ne approfittò per saltare nell'acqua, e quando tornò alla capanna gli fecero grandi feste.

– Collane, braccialetti, orecchini? – disse
il ragazzo, una volta letto il messaggio.

– Io sono ricco, mio padre è piú ricco
ancora, e per domani saranno pronti. Ma
tu, amico, devi portarli fin lassú!

Il giorno dopo il Ranocchio, carico di
gioielli, tornò al pozzo, saltò nel secchio e
lasciò i doni sul tavolo di cucina. Quando
Sole e Luna li trovarono, non finivano piú
di stupirsi.

– Che splendore! Sono meravigliosi, ma
nostra figlia da qui non si muove. Vuol
dire che li terremo per ricordo.

E si misero a ridere, mandando lampi di
luce d'oro e d'argento.

Ma il Ranocchio li sentí e andò a
nascondersi in camera della ragazza.

Aspettò che si addormentasse e poi
le rubò gli occhi, avvolgendoli in un

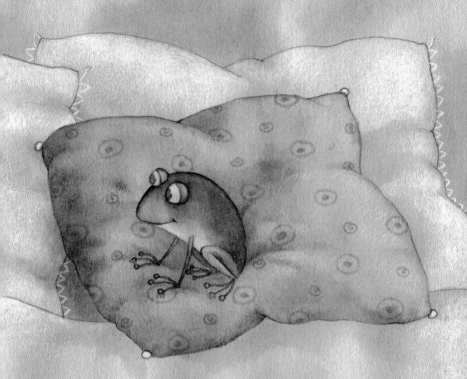

fazzoletto; quindi tornò nel secchio e
il giorno dopo era di nuovo sulla Terra.

Al mattino Sole e Luna scoprirono
che la figlia non ci vedeva piú e la
accompagnarono da un famoso stregone
per chiedere un rimedio. Quello fece un
disegno nella polvere, tirò fuori i suoi
ossetti magici, li buttò per terra e poi
disse: – La ragazza ormai è stata scelta!
Un uomo l'ha chiesta, ha pagato un
alto prezzo per averla e adesso l'aspetta
per le nozze. E siccome i genitori
hanno mancato di parola, qualcuno l'ha
incantata, qualcuno l'ha stregata, e non
c'è altra cura che farla sposare. Solo
allora riavrà i suoi occhi e ci vedrà
come prima.

Allora Sole e Luna chiamarono il Ragno e gli chiesero di tessere un filo abbastanza lungo da arrivare sino alla Terra, e abbastanza robusto da sopportare il peso della figlia con tutto il suo corredo.

Al tramonto il filo era tessuto e Sole e Luna, con le loro lunghe dita luminose, aiutarono la ragazza a scivolare fino al pozzo, perché quello era l'unico luogo della Terra che conoscessero.

Là, nascosto dietro un sasso, c'era il Ranocchio che la aspettava, e le disse:
– Non temere, ti accompagnerò io stesso dallo sposo.
Tirandola per il vestito, guidandola con la voce, passo dopo passo la portò sino alla capanna e finalmente le restituí gli occhi: la prima cosa che lei vide, perciò, fu il fidanzato che le veniva incontro, e la prima cosa che fece fu innamorarsi, come si usa di solito nelle fiabe.
Cosí la figlia di Sole e Luna venne a vivere sulla Terra, e a casa sua il piccolo Ranocchio fu sempre il benvenuto!

Tre passi tra i giochi...

1° gioco

RIORDINA QUESTI AVVENIMENTI DELLA STORIA

METTENDO I NUMERI DA 1 A 6 NEI CERCHIETTI.

 SOLE E LUNA MANDANO LA FIGLIA SULLA TERRA.

 IL RANOCCHIO PORTA LA LETTERA IN CIELO.

 LA FIGLIA DI SOLE E LUNA SI INNAMORA DEL RAGAZZO.

 IL RAGAZZO VUOLE SPOSARE LA FIGLIA DI SOLE E LUNA.

 IL RANOCCHIO RUBA GLI OCCHI ALLA RAGAZZA.

 SOLE E LUNA CHIEDONO GIOIELLI PREZIOSI IN CAMBIO DELLA FIGLIA.

CANCELLA LE IMMAGINI CHE HANNO A CHE
FARE CON LA STORIA. LE INIZIALI DELLE FIGURE
RIMANENTI FORMERANNO UNA PAROLA MISTERIOSA.
SCRIVILA SOTTO.

_ _ _ _ _

CHE COSA DICE IL RANOCCHIO AL RAGAZZO CHE

VUOLE SPOSARE LA FIGLIA DI SOLE E LUNA?

CANCELLA I FUMETTI SBAGLIATI.

CHI DICE A SOLE E LUNA COME FAR RIAVERE

GLI OCCHI ALLA FIGLIA? RISOLVI IL CRUCIVERBA E IL

SUO NOME APPARIRÀ NELLA COLONNA COLORATA.

1. SI TROVA IN RIVA AL MARE.
2. CORRE SUI BINARI.
3. SCORRE IN MONTAGNA.
4. ANIMALE DAL NASO LUNGO.
5. FA LE FUSA.
6. SERVE QUANDO PIOVE.
7. STA IN MEZZO ALLA FACCIA.
8. SI PUÒ SENTIRE TRA I MONTI.

5° gioco

AIUTA IL RANOCCHIO A PORTARE LA RAGAZZA DAL SUO FIDANZATO. QUAL È LA STRADA GIUSTA?

SOLO SETTE DELLE DIECI PAROLE SCRITTE SULLE PIETRE DEL POZZO FANNO PARTE DELLA STORIA. CANCELLA LE TRE PAROLE INTRUSE CON UNA CROCE.

L'autore

Francesca Lazzarato è nata in Sardegna e vive a Roma. Ha diretto collane di narrativa per ragazzi e per adulti, e ha curato oltre quaranta raccolte di fiabe, filastrocche e giochi appartenenti alla tradizione popolare dei paesi europei ed extraeuropei, fedelmente trascritte a uso dei lettori piú giovani.

Tre passi

Finito di stampare nel mese di giugno 2018
per conto delle Edizioni EL
presso G. Canale & C. S.p.A., Borgaro Torinese (Torino)